Christian Devèze

La bande des Karts

Illustré par
Richard Flood

GRASSET-JEUNESSE
Lampe de poche

Loi n° 49- 956 du 16 juillet 1949
sur les publications destinées à la jeunesse.

Chapitre 1

C'est vrai ! Pendant longtemps je n'ai pas beaucoup prêté attention à Mécano, enfin... à Philippe je veux dire. Des garçons de la classe, il était un de ceux à qui je ne parlais jamais. Personne ne lui parlait d'ailleurs. Peut-être parce que lui non plus ne parlait à personne, assis au fond de la classe ou seul dans un coin de la cour. On finissait par l'oublier des journées entières.

« Ce n'est pas possible d'être à ce point effacé ! » avait dit un jour M. Pabot, notre maître, à la maîtresse des C.E.2 en parlant de lui. C'était pendant une récré, je traînais par là et la phrase était arrivée jusqu'à mes oreilles.

« Effacé ». J'ai tout de suite pensé à un coup de gomme. On efface un mot écrit d'une main appuyée au crayon. Le mot n'est plus sur la feuille, pourtant on le devine encore incrusté dans le papier.
Philippe, c'était un peu ça. On le savait dans l'école, mais on avait toujours l'impression qu'il était ailleurs.
Pourtant Philippe ne passait pas inaperçu. Un retard scolaire n'entraînant pas de retard de croissance, avec ses deux redoublements, il dépassait tous les enfants de la classe d'au moins quinze centimètres. Pour une fois, il était le premier. Malheureusement le classement par taille ne figure jamais sur le bulletin scolaire.
Et puis il était toujours débraillé, décoiffé et sale. Les mains surtout !
« J'en connais un qui a encore joué sur un tas de charbon ! » disait notre instituteur quand, déambulant jusqu'au fond de la classe, ses yeux tombaient sur le bout et le pourtour noirs des ongles de Philippe. Immanquablement, cela provoquait un ricanement général et tous les élèves se retournaient vers lui. Mais il y en avait une que notre maître n'amusait pas : Betty, qu'on appelait aussi le garçon manqué parce qu'elle

était toujours en jeans, tee-shirt, baskets, qu'elle avait les cheveux courts, et qu'à la récré elle voulait toujours jouer avec les garçons. Comme les autres élèves, Betty se retournait aussi, mais au lieu de rire elle regardait Philippe d'un drôle d'air jusqu'à ce que les gloussements cessent.

C'est ainsi que de temps à autre, M. Pabot nous rappelait l'existence de Philippe. Mais ni nos rires moqueurs ni le doux regard de Betty ne semblaient le toucher. Il était ailleurs. Tellement loin que notre maître avait renoncé depuis belle lurette à l'interroger sur les activités qui se déroulaient en classe.

Aussi quelle ne fut pas notre surprise ce jeudi, jour de la leçon de sciences, lorsqu'à la question de M. Pabot :
« Quelqu'un sait-il comment marche un moteur de voiture ? » nous entendîmes Philippe répondre :
« Moi m'sieur ! »
Un grand silence succéda soudain aux bruits habituels de la classe, que M. Pabot, saisi d'étonnement, tarda à rompre.
« Eh bien... Philippe... vas-y... nous t'écoutons ! » dit-il enfin.
Philippe se leva et se lança alors dans une longue explication où il était question d'explosion, de cylindre, de cm^3, de deux et de quatre-temps, de bielle, de bougie, de piston, de carburateur et de beaucoup d'autres choses encore.
Quand il eut fini, il se rassit tranquillement, nullement gêné par les regards fixes du maître et de tous les élèves qui convergeaient vers lui.

La classe était figée. Plus un geste, plus un bruit... A l'exception d'une mouche qui virevoltait dans l'air. Quand elle vint se poser au bord de la bouche béante de M. Pabot, le silence fut absolu.
Un moment passa ainsi, puis M. Pabot resserra enfin les mâchoires. La mouche alors s'envola et lui frôla les narines. Cela le fit réagir. Il parvint à articuler.

« C’est bien... C’est bien... Très bien... Philippe... Tu finiras mécano ! »

C’est de ce jour que date ce surnom de Mécano. De ce jour aussi que débuta notre amitié. Faut dire qu’avec Herbert, mon meilleur copain de classe, nous étions passionnés d’automobile et surtout de sport mécanique. Nous ne rations jamais un grand prix de F1 à la télé et, à nous deux, nous possédions la plus belle collection de modèles réduits de voitures de tout le village et certainement même de toute la région. C’était facile, pour chaque bonne note nous réclamions une voiture à nos parents. Cela ne marchait pas à tous les coups, mais comme à l’école on se débrouillait plutôt bien, la collection grossissait vite.
Alors forcément, quand Mécano eut fini son exposé sur le moteur à explosion, nous le vîmes sous un autre jour.
Nous allâmes le voir à la récré.
« Ton explication sur le moteur, génial ! » lui dit Herbert.
Mécano lui sourit, l’air ravi.
« Ouais super ! rajoutai-je, mais j’ai pas vraiment compris l’histoire de la carburation. »

« Pourtant c'est facile ! me répondit Mécano : Ecoute-moi... »
Lui qui d'habitude ne disait pratiquement rien était intarissable sur le sujet.
« Parce que les bougies... »
Mais c'était déjà la fin de la récré.
A la suivante, il nous raconta comment avec son grand frère, maintenant au service militaire, il avait appris la mécanique. Comment, dans le garage de leur père, ils avaient passé des jours et des jours à démonter et remonter les vélomoteurs puis les motos de son frère.

Voilà pourquoi Mécano avait toujours les ongles noirs !
La voix de M. Pabot retentit dans la cour.
« La récréation est finie. En rang les enfants ! »

Chapitre 2

Herbert et moi attendîmes avec impatience la sortie de l'école pour retrouver Mécano. Ce soir-là, nous arrivâmes en retard à la maison. Nous attendîmes avec la même impatience toutes les récréations du lendemain. Bientôt nous fûmes tous trois inséparables.
Tous les quatre, devrais-je plutôt dire. Parce que Betty ne nous lâchait pas d'une semelle. Elle nous collait aux talons à longueur de récré et nous avions beau l'envoyer bouler, elle revenait toujours à la charge.
« Laissez-moi rester avec vous, moi aussi j'aime les voitures ! »
« La voiture, c'est pas un truc de fille », lui répondait Herbert sèchement.

Mais de récré en récré, elle s'accrochait.
Si bien que nous dûmes recourir à un stratagème pour tenter de nous débarrasser d'elle.
C'est moi qui en eus l'idée.
« Puisqu'elle veut faire partie de la bande, mettons-la à l'épreuve, dis-je à Herbert et Mécano.
Mais une épreuve qu'elle perdra à coup sûr. »

« Quel genre d'épreuve ? » me demanda Mécano.
« Attendez, vous allez voir. »
Betty approchait. Quand elle fut près de moi, je pris un ton solennel :
« Betty ! On a réfléchi. On veut bien t'accepter avec nous, mais tu dois te soumettre à une épreuve. D'accord ? »
« D'accord », s'empressa-t-elle de répondre.
« Alors écoute bien. D'abord, tu devras voir passer quatorze D.S. noires... »
« Quatorze quoi ? » me coupa-t-elle.
« D.S. Une D.S., tu sais ce que c'est ? »
« Oui, oui. Bien sûr », fit-elle crâneuse.
« Quatorze, et noires, répétai-je, puis croiser sur ton chemin cinq vieilles dames avec une canne et surtout, surtout, durant tout ce temps ne pas rencontrer de barbu. De plus, pendant toute cette épreuve, tu ne pourras pas nous parler et tu dois jurer de ne pas tricher. Tu le jures, Betty ? »
« Je le jure. »
« Bien. L'épreuve commence tout de suite. Alors, vas-y et bonne chance. »

Quand Betty fut éloignée, nous éclatâmes de rire.

« Bien vu, le coup des D.S. », dit Mécano.

« Elle sait même pas ce que c'est. Et puis, d'ici qu'il en passe quatorze, on sera au collège et même au lycée », dit Herbert riant de plus belle. Une D.S. est une magnifique voiture aux formes fuselées construite dans les années soixante, c'est-à-dire il y a très longtemps. Aujourd'hui, c'est une voiture de collection et il n'y en a presque plus en circulation.
Oui, c'était bien vu ! En trois semaines Betty

n'aperçut pas une seule D.S. Nous étions enfin tranquilles. Accoudée à la fenêtre de sa chambre, elle restait des heures les yeux rivés sur la route départementale à guetter cette fameuse voiture noire que son père lui avait montrée dans une revue automobile.

Elle commençait à désespérer lorsque, par voie d'affiche, nous apprîmes qu'un prochain week-end était organisé au village voisin un rallye

années soixante. Les voitures suivaient un itinéraire comprenant la traversée de notre village. Herbert, Mécano et moi, étions fous de joie.
Ce fut un événement !
Sauf que, le dimanche après-midi, Betty dénombra de sa fenêtre vingt-deux D.S. noires en une heure.
Ça, c'était une catastrophe.

Chapitre 3

Le jeudi suivant, en classe, M. Pabot nous tint ce discours :
« Mes enfants, lundi nous accueillerons dans la classe un monsieur. C'est un inspecteur. Il se mettra dans un coin, regardera, écoutera et peut-être même vous posera-t-il des questions sur la leçon de mathématique que je serai en train de faire. Je compte sur vous pour lui donner satisfaction. Exceptionnellement aujourd'hui et demain nous réviserons les maths. Prenez vos cahiers. »
L'heure était grave, non pas à cause de la venue du commissaire, enfin... je veux dire de l'inspecteur, mais parce que Betty avait déjà rencontré

trois vieilles dames avec une canne depuis le début de la semaine.

Le dimanche, elle croisa encore une autre vieille dame. Betty touchait au but. Elle allait remporter l'épreuve. Nous allions devoir l'accepter dans la bande.

Le lundi, en début d'après-midi, trois coups secs à la porte de la classe stoppèrent net le tournis dont avait été saisi M. Pabot depuis le matin. Il pâlit, se racla la gorge puis se décida enfin à aller ouvrir. Nous l'entendîmes échanger

quelques paroles sur le seuil de la porte, puis, se tournant vers nous, il se recula comme pour laisser passer.
« Mes enfants, voici Monsieur l'inspecteur ! »
L'inspecteur entra, mais avant même qu'il eût prononcé un mot, Betty éclata en sanglots.
L'inspecteur portait une barbe.

Quand vint l'heure de la récréation, au grand désespoir de M. Pabot et de l'inspecteur, Betty pleurait toujours.
M. Pabot était furieux. Son inspection était ratée.
Dans la cour, à tour de rôle, filles et garçons de

la classe tentèrent en vain de consoler Betty. Mais plus on lui parlait, plus on lui demandait les raisons de ce soudain chagrin et plus elle sanglotait.

Nous, nous savions. Nous tînmes la moitié de la récré à la regarder pleurer ainsi, sans rien dire. Mais nous ne pûmes résister jusqu'au bout. Mécano craqua le premier.

« D'accord, elle n'a pas terminé l'épreuve, mais pour moi, c'est comme si elle avait réussi », finit-il par lâcher.
« Tu as raison », approuvai-je.
« Je suis d'accord aussi, dit Herbert. Allons la voir ! »

Quand la fin de la récré sonna, Betty avait séché ses larmes. Lorsqu'elle s'assit à sa table, un large sourire illuminait son visage. Maintenant elle était prête à résoudre des divisions à soixante chiffres, à calculer la circonférence de toutes les planètes de la galaxie, à lancer des millions de mètres cubes de plumes et de plomb à la vitesse de... Mais la leçon de maths était finie et l'inspecteur était reparti.

M. Pabot regarda Betty, incrédule.

Puisque désormais Betty était membre à part entière de la bande, nous pouvions lui dévoiler le projet secret sur lequel Mécano, Herbert et moi, planchions depuis plusieurs semaines déjà : la construction de deux karts. Deux karts pour faire la course sur la piste improvisée de la carrière abandonnée du village.

Chapitre 4

Dans un coin de la cour de récré, à l'abri des regards indiscrets, Herbert déplia un plan devant Betty. Il figurait un kart vu de face et de profil. Mécano en fit le commentaire avec force détails techniques. Béate, Betty l'écoutait, le fixant intensément du regard. Puis Herbert prit la parole pour décrire l'état d'avancement du projet.
« Les choses se présentent plutôt bien », dit-il.
En effet, les conditions étaient réunies pour commencer la construction des karts. Nous possédions un atelier (le garage aménagé du père de Mécano) avec tout l'outillage nécessaire. Nous avions récupéré tubes et barres de métal pour le châssis, des roues, un siège. Tout y était,

à un détail près, mais important : nous n’avions pas de moteur. Et il nous fallait absolument deux moteurs, car sans cela nos magnifiques superkarts de compétition allaient finir en voitures à pédale.
Où trouver deux moteurs?
Cette question revenait à chaque réunion de la bande, c’est-à-dire à peu près à toutes les récréations. Sans réponse, hélas !
Une autre question nous préoccupait également beaucoup : quel nom donner à notre bande ? Il y avait eu plusieurs propositions, mais aucune

n'avait fait l'unanimité. Jusqu'au jour où Herbert arriva à l'école tout excité.

« J'ai pas de moteur, commença-t-il, mais j'ai une idée pour le nom de la bande. Hier soir à la maison, j'ai installé mon circuit électrique de voitures dans le salon. La télé marchait, c'étaient les infos. Ça parlait de politique, je sais pas quoi, j'écoutais pas. Mais à un moment, un monsieur a parlé de la bande des quatre. Il a répété ça plusieurs fois. Moi, d'abord, j'ai compris la bande des karts. J'ai pensé à nous, je me suis dit que c'était le nom de notre bande. »

« Ça me plaît », dit Betty.
« Ça me va », dis-je.
« Moi aussi », dit Mécano.
« Alors va pour la bande des karts », conclut Herbert.
Tout à notre joie d'avoir enfin trouvé un nom de bande, nous n'entendîmes pas la sonnerie. M. Pabot nous rappela à l'ordre et nous nous précipitâmes vers notre classe. Nous fûmes les derniers à rentrer. Avant de fermer la porte derrière lui, M. Pabot lâcha :
« Toujours fourrés ensemble, ceux-là. La bande des quatre en somme ! »
« Non, la bande des karts », dit Herbert à voix basse.
Nous échangeâmes un clin d'œil et chacun gagna sa place.
Nullement découragés par l'absence de moteur, nous entreprîmes la construction des karts. Les semaines qui suivirent, nous passâmes des heures dans l'atelier du père de Mécano, et bientôt un des karts fut achevé.
Mais nous n'avions toujours pas de moteur.

Chapitre 5

Un mercredi, Betty rêvassait à la fenêtre lorsqu'elle vit une camionnette s'arrêter à la décharge communale, sur la colline d'en face. Deux hommes en descendirent et commencèrent à vider tout un bazar. A cette distance, Betty distinguait mal ce que jetaient les deux hommes. Mais lorsqu'ils sortirent péniblement de leur véhicule un engin à deux roues, elle reconnut immédiatement un vélomoteur. Vélomoteur... vélomoteur... MOTEUR !

« Un moteur ! un moteur ! »

Betty courut nous prévenir. Nous nous réunîmes d'urgence chez Mécano et décidâmes sur-le-champ d'une expédition.

Mais nous devions agir avec discrétion, car, surpris là-bas, nous subirions à coup sûr les foudres du garde champêtre qui interdisait strictement l'accès de la décharge aux enfants du village.

Arrivés sur les lieux, nous nous séparâmes. Betty et Herbert se postèrent de chaque côté de la décharge pour guetter les environs et j'allai avec Mécano l'aider à démonter le moteur. L'habileté de Mécano était telle que quelques minutes lui suffirent. Notre précieuse trouvaille dans un sac sur mon dos, nous nous apprêtions à rejoindre la route lorsque, du petit bois d'en face, déboula Valentin sur son vélo. Avec le feuillage, ni Betty ni Herbert ne l'avaient vu. Valentin le rapporteur. A l'école ou au village, il ne pouvait se produire le moindre événement

dans la vie des enfants sans que Valentin en rendît compte à un adulte. Surtout si l'événement ressemblait à une bêtise.

C'est exactement ce qu'il fit en la circonstance. A la colère du garde champêtre nous dûmes ajouter les réprimandes de nos parents. Mais nous nous en moquions, nous possédions un moteur qui par les soins de Mécano transformerait notre kart en un vrai bolide.

Des soins ! ça, le moteur en eut besoin ! Il était grippé. Un moteur grippé, c'est un moteur qui... Mécano nous donna l'explication mais je ne m'en souviens plus très bien. Disons que le moteur était bien malade et que Mécano passa un jour et une nuit à tenter de le remettre en état. Au petit matin, il parvint enfin à le faire démarrer. Il arriva à l'école sale, dépenaillé et ébouriffé, des cernes noirs sous les yeux, si marqués qu'on eût cru du cambouis. Il avait l'air d'un mort-vivant. Mais à son sourire nous comprîmes qu'il avait réussi.

Non seulement le moteur tournait comme une horloge, mais en plus il l'avait gonflé. Non, pas avec une pompe à vélo !... Mécano avait tout simplement amélioré les performances techniques du moteur.

Lui en revanche était épuisé. Ça tombait mal. Ce matin-là nous avions un contrôle de français. Certes, les résultats de Mécano n'étaient jamais très brillants, mais là, ils risquaient d'être catastrophiques. M. Pabot n'avait pas fini de donner les consignes que j'entendis dans mon dos un léger ronflement. Mécano, qui occupait la table derrière la mienne, s'était endormi.
C'est alors qu'on frappa à la porte de la classe. C'était M. Bigeart, le secrétaire du maire, qui apportait des documents à notre maître. M. Pabot

et M. Bigeart échangèrent quelques mots à leur propos, puis rapidement la discussion dévia sur leur sujet favori : le tennis.

Je me dépêchai de finir les exercices du contrôle, puis profitai des préoccupations de M. Pabot quant à son entraînement service-volée pour réveiller discrètement Mécano.

« Mécano ! Mécano ! » chuchotai-je.

Pas de réponse.

« Mécano ! Mécano ! » essayai-je encore.
Aidé par les coups de coude de son voisin de table, Mécano se réveilla enfin.
« Mécano ! Prends mon contrôle et recopie-le », lui dis-je par-dessus mon épaule.
Je lui glissai la feuille et il se mit aussitôt à écrire.
Pendant quelques minutes, je n'entendis que le crissement de la plume sur le papier, puis plus rien. Puis à nouveau un léger ronflement. Mécano s'était rendormi.
Au même moment M. Bigeart, se rappelant soudain qu'il avait rendez-vous avec M. le maire, quitta brusquement M. Pabot.
Les murmures et les chuchotements cessèrent dès que M. Pabot se déplaça au milieu des rangées de table.
Dans le calme retrouvé de la classe, M. Pabot perçut distinctement un ronflement dont il ne tarda pas à identifier la provenance. Il se rapprocha de Mécano, vit les deux feuilles de contrôle devant sa table et...
Et c'est ainsi que nous récoltâmes deux semaines de colle.

Chapitre 6

Deux semaines qui retardaient d'autant le montage final du premier kart. Nous étions démoralisés. Heureusement, un événement imprévu nous aida à passer cette sombre période.
Un matin, Joris, un élève de la classe, vint trouver Mécano à la récré.
« Mon frère a eu son permis, il a acheté une moto. Il m'a donné son vieux cyclomoteur. Moi, j'ai pas l'âge de le conduire. Je sais pas quoi en faire. Toi, ça t'intéresse ? »
« Faut voir », répondit Mécano essayant de prendre un air détaché.
« Tu l'échanges contre quoi ? » lui demanda Joris.

« Je sais pas, lui répondit Mécano, je vais réfléchir. »
Informés de la nouvelle, les membres de la bande des karts tinrent aussitôt une assemblée extraordinaire au fond de la cour.
« Echange-lui contre deux modèles réduits de Formule 1, dit Herbert, la MacLaren et la Ferrari. » Puis il ajouta : « Je m'en fiche, je les ai en double. »
Mécano retourna voir Joris et lui fit part de notre proposition. Ils discutèrent un moment, puis Mécano revint vers nous :
« C'est pas assez, dit-il, il veut autre chose. »

Les tractations furent longues et difficiles. Joris, sentant l'intérêt que Mécano, malgré lui, manifestait pour son cyclomoteur, fit de récré en récré monter les enchères. Cinq récrés plus tard, le marché était conclu.
Au bout du compte, cela nous coûta deux autres Formule 1, mon baladeur et la collection complète de *Tintin* que nous parvînmes tant bien que mal à réunir.
Il nous fallut encore nombre de soirées, le nez dans la mécanique et les mains dans le cambouis, pour achever nos deux superbolides.

A l'école, nos cahiers étaient couverts de traînées noires et nos résultats avaient passablement baissé. Seuls ceux de Mécano restaient stables. C'est-à-dire au plus bas, comme toujours.

A la mi-mai, nous touchâmes au but. Nos deux karts pouvaient enfin foncer sur la piste de la carrière abandonnée. Restait à les emmener là-bas sans que personne nous vît.

Par une belle nuit étoilée, le dos courbé sur nos engins, nous les poussâmes en silence jusqu'à la carrière et les cachâmes dans un creux de la paroi que nous recouvrîmes de branches et de feuillage.

Le mercredi après-midi suivant, mêlant le bruit de nos moteurs à ceux des tracteurs de la campagne avoisinante, nous nous élançâmes pour nos premiers tours de piste.

Mécano et moi tînmes le volant lors de cette première séance d'essai. Si le choix de Mécano comme premier pilote ne fit l'objet d'aucune contestation au sein de la bande, le choix du second pilote en revanche s'avéra plus délicat.

Après moult discussions et ploufs truqués, nous procédâmes à un tirage à la courte paille dans les règles. Ainsi, j'eus l'immense honneur d'étrenner le second kart.

Ah ! C'était de la belle ouvrage que ces deux engins-là !

Mécano avait réalisé un véritable travail d'orfèvre et la mise au point était parfaite. Les karts répondaient impeccablement à la moindre de nos sollicitations et au fil des tours nous prenions plus d'assurance.

Puis Betty et Herbert nous remplacèrent au volant. Quand un peu plus tard ils s'arrêtèrent de tourner, ils rayonnaient du même enthousiasme que nous.
« Formidable, hein ? » leur lançai-je.
« Ouais, fantastique ! » répondit Herbert.
« Oui, c'est bien, dit Mécano. Mais nous avons oublié quelque chose ! »
Nous le regardâmes, surpris. Les karts marchaient si bien ! Que pouvait-il leur manquer ?
« On n'a pas pensé aux rétroviseurs, dit Mécano. Et en course, c'est indispensable. »

Bien sûr ! Il avait raison.
Il restait cependant à se les procurer. La semaine qui suivit, chacun de son côté entreprit

des recherches. Ce fut peine perdue, et quand vint le mercredi, nous retournâmes bredouilles à la carrière.

Chapitre 7

Mais pour l'instant, nous n'y pensions pas. C'était l'anniversaire de Mécano et en secret Betty, Herbert et moi lui avions organisé une petite fête. Le dos courbé sur un kart, absorbé à peaufiner un réglage de moteur, Mécano ne nous entendit pas approcher. Nous criâmes à l'unisson.

« Joyeux anniversaire, Mécano, joyeux anniversaire ! »

Il sursauta, se redressa, et vit alors trois paires de bras lui tendre des paquets de diverses tailles et de diverses formes.

La voix pleine d'émotion, Mécano nous remercia chaleureusement.

« Vous y avez pensé, c'est chouette ! C'est très chouette. »
« C'est même très, très, très, très chouette ! ajouta sur un ton bouffon Herbert pour mettre fin aux effusions de Mécano. Allez ! imbécile, ouvre plutôt tes paquets ! »
Mécano s'exécuta aussitôt.
Il commença par le plus petit. C'était un cadeau d'Herbert : un porte-clés musical qui lui plut beaucoup.
Puis il déballa celui que, d'une main tremblante, lui présentait Betty. Il ôta le ruban, déplia le papier et découvrit une boîte à chaussures sans aucune indication.

Malgré notre insistance, Betty avait catégoriquement refusé de nous révéler son contenu. Herbert et moi étions impatients de savoir ce qu'elle renfermait.
Mais au lieu de retirer d'un geste le couvercle, Mécano le souleva tout juste et par l'étroite ouverture jeta un œil intrigué à l'intérieur.
Face à lui, Herbert et moi mourions d'impatience. Les secondes nous paraissaient des heures. Quand se déciderait-il enfin à nous montrer le mystérieux cadeau de Betty ?

Soudain, le visage de Mécano s'illumina et il se jeta sur Betty, la couvrant de baisers.
« C'est génial Betty ! Les rétroviseurs qui nous manquaient. Génial ! Comment as-tu fait ? »
Mais trop heureux pour attendre une réponse de Betty, il fondit à nouveau sur elle.
« Betty, t'es une superfille ! »
Betty était aux anges. Quant à nous, nos sentiments étaient partagés. Bien sûr, nous étions contents d'avoir des rétroviseurs pour les karts, mais nous étions déçus du peu d'intérêt que revêtaient à présent nos cadeaux.
Et puis d'abord, ces rétroviseurs, d'où Betty les tenait-elle ?

Quand nous lui posâmes à notre tour la question, elle nous rétorqua que c'était sans importance, que ce qui comptait dans un cadeau, c'était qu'il fasse plaisir.
Personne n'insista.
Quelqu'un savait pourtant d'où venaient les rétroviseurs. Quelqu'un qui, caché derrière un platane de la place, avait vu Betty les voler sur le vélomoteur du père Dodu, un vieux monsieur que tout le monde connaissait au village et qu'on avait ainsi surnommé en raison de son embonpoint. Et ce quelqu'un, c'était Valentin. Le démontage des rétroviseurs achevé, Valentin avait discrètement suivi Betty jusqu'à la carrière puis s'était empressé d'aller prévenir le père Dodu. Nous l'apprîmes à nos dépens quand nous vîmes débouler le père Dodu accompagné de deux doublets de joueurs de belote qu'il avait recrutés au café de la place et qui, pour la circonstance, s'étaient mués en chasseurs de têtes.

Leurs cris et leurs gestes ne nous laissèrent aucun doute sur leurs intentions, mais Mécano, Herbert et moi ignorions encore la raison de leur colère.

« C'est à cause des rétroviseurs, finit par lâcher Betty, pas le temps de vous expliquer, faut partir ! vite ! vite ! »
Déjà ils fonçaient sur nous.
« Betty, Herbert, filez à travers champs ; nous deux, on va essayer de sauver les karts en passant par le chemin du petit bois », dit Mécano d'une voix pleine d'autorité.
Nous nous dispersâmes en un éclair, clouant sur place le commando du père Dodu, dont l'âge avancé des membres les fit renoncer à la poursuite.

Jusque-là, nous n'avions conduit les karts que sur la piste plane de la carrière. C'était agréable et sans surprises.
Mais dans les ornières du chemin du petit bois, la difficulté était tout autre. Nous fûmes tellement secoués que nous manquâmes plus d'une fois de verser. Quand nous arrivâmes sur la route départementale, ce fut un soulagement.

Chapitre 8

Pour la première fois, nos karts roulaient sur un revêtement bitumé comme sur un circuit de compétition. Aussi la tentation était-elle grande de voir enfin ce que nos machines avaient dans le ventre. Nous ne pûmes résister, et c'est plein pot que nous nous lançâmes sur la départementale.

Grisés par la vitesse, nous ne remarquâmes pas le petit flash que déclencha au kilomètre 23 notre passage. Quelques centaines de mètres plus loin à la sortie d'un virage, un barrage de gendarmerie nous obligea à un freinage en catastrophe. Nous fûmes cernés par les hommes en uniforme. L'un d'eux ne cessait de répéter :

« Vous avez vu à combien ils roulaient ! Vous avez vu ! »

Je tairai ici les chiffres qu'enregistra le radar de la gendarmerie. Disons, pour donner un ordre de grandeur, que la vitesse relevée était de trois ou quatre fois supérieure à celle du vélomoteur du père Dodu lancé à fond dans la descente du cimetière, ce qui, considérant son poids, est déjà en soi impressionnant.

Et puis, oublions... Nous étions déjà suffisamment piteux lorsque les gendarmes nous raccompagnèrent chez nos parents. L'écho de nos prouesses fit le tour du village. Bien entendu, on confisqua nos engins et les membres de la bande des karts furent punis comme il se doit

en pareille circonstance. Pour corser l'affaire, ce fut le moment que choisit M. Pabot pour envoyer un mot à nos parents les informant de nos résultats catastrophiques des derniers temps. Ce qui eut pour conséquence d'étendre notre punition jusqu'aux vacances d'été.

Le troisième trimestre s'ouvrait sous de bien tristes auspices. Mais nous acceptâmes notre punition et, décidés à nous racheter, nous mîmes tout notre cœur à l'ouvrage.
Avec deux heures de retenue quotidienne, nous eûmes tôt fait de rattraper notre retard, et même Mécano fit de réels progrès.
Le peu de loisirs que nous laissaient nos heures de retenue, nous les passions à entretenir le jardin du père Dodu, ainsi que ceux de tous les vieux du village.

Un soir de juin, alors que nous accomplissions notre colle quotidienne, nous vîmes entrer dans la classe M. le maire accompagné de M. Pabot et du père Dodu.
M. le maire prit la parole.
« Mes enfants, durant cette année vous avez fait de grosses bêtises, mais vous avez aussi montré

que vous pouviez réaliser de belles choses. Aussi, d'un commun accord, nous avons décidé de lever votre punition, à condition... »
Qu'allait-il encore nous tomber dessus ?
« ... J'ai bien dit à condition... que vous organisiez et teniez pour la kermesse du Sou des écoles un stand avec une piste de kart sur la place du village. Le Sou des écoles a besoin d'argent, et je crois qu'une telle attraction est de nature à... »
Notre joie explosa avant qu'il eût achevé sa phrase.

Notre stand fut la grande réussite de la kermesse.

Le circuit que nous avions tracé occupait toute la place du village, avec de belles courbures et de grandes lignes droites. Nos karts étaient rutilants. Graissés, astiqués, équipés chacun d'une paire de rétroviseurs, ils brillaient au soleil de juin. L'une des paires de rétroviseurs était celle que Betty avait volée au père Dodu. Prétextant que ces rétroviseurs-là ne lui convenaient plus, il nous les avait gentiment donnés. L'autre paire nous avait été offerte par Valentin qui, pour se faire pardonner son attitude, avait cassé sa tirelire. Sans rancune, nous avions accepté son cadeau.

Il y eut des courses acharnées, comme celle entre l'épicier et sa femme, qui tourna à l'avantage de cette dernière, ou comme celle entre M. le maire et le premier adjoint, qui se termina dans les bottes de foin qui balisaient la piste.

Tant de monde voulait piloter les karts que nous dûmes à plusieurs reprises imposer un arrêt pour laisser refroidir les moteurs.

Malgré cela, je crois qu'aucune attraction n'a jamais rapporté autant d'argent au Sou des écoles. Ce fut vraiment une belle journée.

Nous eûmes un seul regret : que le père Dodu ne puisse accomplir le tour d'honneur que nous avions prévu pour lui. Vainement, il tenta de prendre place au volant d'un kart, mais ses grosses fesses s'y refusèrent catégoriquement.

Dans la même collection

“ *Lampe de poche* ”
9 ans et +

Le Château de Martine et Léon *(n°7)*
Olivier Daniel - Evelyne Faivre-Drouhin

Le Secret de la Joconde *(n°9)*
Catherine Ternaux - Boiry

Rue du Masque *(n°10)*
Christine Boutin - Jérôme Brasseur

Petite Sœur *(n°11)*
Pierre Gripari-Cecco Mariniello

Les 12 Travaux d'Hercule *(n°12)*
Jean Duché - Daniel Le Noury

Dépôt légal : septembre 1997
N° d'édition : 10.386 - ISBN : 2-246 51321 9
Photogravure : Objectif 21 - Impression et brochage : Imprimerie Pollina - n° 72393-C
Conception et réalisation maquette : joëlle Leblond